PROBLEM SOLVING

매스티안

팩토슐레 Math Lv. ❶ 교재 소개

" 우리 아이 첫 수학도 창의력을 키우는 FACTO와 함께! "

● **팩토슐레**는 처음 수학을 시작하는 유아를 위한 창의사고력 전문 프로그램입니다.

● **팩토슐레**는 만들기, 게임, 색칠하기, 붙임딱지 붙이기 등의 다양한 수학 활동을
하면서 스스로 수학 개념을 알 수 있도록 구성하였습니다.

수 (NUMBERS)
도형 (SHAPES)
측정 (MEASUREMENT)
규칙 (PATTERNS)
연산 (OPERATIONS)
문제해결력 (PROBLEM SOLVING)

※팩토슐레는 6권으로 구성되어 있으며, 각 권에는
30가지의 재미있는 활동이 수록되어 있습니다.

누리과정

팩토슐레는 누리과정 · 초등수학과정을 연계하여 수학의 5대 영역
(수와 연산, 공간과 도형, 측정, 규칙, 문제해결력)을 균형 있게
학습할 수 있도록 하였습니다.
특히 가장 중요한 수와 연산은 각 권으로 구성하여 깊이 있는 학습이
가능하도록 하였습니다.

STEAM PLAY MATH

팩토슐레는 4, 5, 6세 연령별로 학습할 수 있도록 설계한 놀이
수학입니다.
매일매일 놀이하듯 자르고, 붙이고, 색칠하는 30가지의 재미있는
활동을 통해 창의사고력을 기를 수 있습니다.

동화책풍의 친근한 그림

팩토슐레는 동화책풍의 그림들을 수록하여 아이들이 수학을 더욱
친근하게 느끼며 좋아할 수 있도록 하였습니다. 또한 한글을 최소
화하고 학습 내용을 직관적으로 이해할 수 있도록 하였습니다.

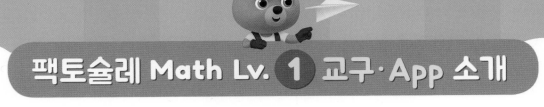

팩토슐레 Math Lv. ① 교구·App 소개

" 수학 교육 분야 증강현실(AR)과 사물인식(OR) 기술을 국내 최초 도입 "

교구를 활용한 App 학습 프로세스

① 거치대와 반사경 설치 → ② App 실행 → ③ 교구로 문제 해결 → ④ 사물인식 기술을 활용하여 교구 인식 → ⑤ 정답과 오답 체크

자기주도학습 　팩토슐레 App만의 장점

팩토슐레 App은 사물인식(OR) 기술을 사용하여 아이들의 학습 정보를 습득한 후, App에 프로그래밍된 학습도우미를 통하여 아이들이 문제 푸는 것을 힘들어하거나 틀릴 경우에는 힌트를 제공합니다.
이와 같은 방식의 스마트기기와의 상호작용은 학습의 효율을 높이고 자기주도학습 능력을 길러 줍니다.

완벽한 학습 설계 App 　다른 교육 App과의 차별점

팩토슐레 App은 수학 교육 목표에 맞게 완벽한 학습 설계가 되어 있습니다. 아이들은 게임 기반의 학습 App을 진행하면서 어려운 문제도 술술 풀 수 있습니다.

증강현실(AR) 기술 도입

팩토슐레 App은 아이들이 캐릭터와 사진도 찍고, 자신이 그린 그림으로 자기만의 쿠키도 만들면서 학습 몰입도를 높일 수 있습니다.

01 친구들이 놀이터에 왔어요. 자세히 보니 이상한 부분이 있네요! **이상한 부분 4군데를 찾아** ○표 하고, 왜 이상한지 이야기해 보세요.

주어진 상황을 이해하고 그 안에서 일어날 수 있는 일과 일어날 수 없는 일을 구분하는 활동을 통해 논리력과 집중력을 기를 수 있습니다.

친구들이 강아지를 데리고 산책을 하고 있어요. 누구의 강아지일까요? 줄을 따라 친구들이
어느 강아지를 키우고 있는지 알아보세요.

복잡한 그림 속에서 목적지에 도달하는 길을 찾는 활동을 통해 집중력을 기를 수 있습니다.

친구들이 자동차를 타고 여행을 가고 있어요. 알맞은 자리에 탈것을 붙여 보세요. 붙임딱지 ❶

빨간색 자동차

파란색 자동차

주황색 자동차
(택시)

빨간색 모자를
쓴 사람이
탄 자동차

소방차

구급차

버스

트럭

경찰차

엄마가 과자를 만들어 주셨어요. 두 친구가 똑같이 나누어 먹으려고 하네요.
두 친구의 **접시에 과자를 한 개씩 놓아가며 똑같이 나누어** 담아 보세요. 활동지 ❶

과자
놓는 곳

과자
놓는 곳

4개, 6개, 10개의 과자를 두 접시에 한 개씩 나누어 담는 활동을 통해 '똑같이 나누기'에 대한 이해를 할 수 있습니다.

정글에는 여러 가지 동물들이 살고 있어요. 날카로운 이빨을 가진 악어도 보이고, 귀여운 작은 새와 나비도 보이네요. **정글에서 볼 수 있는 동물들을 찾아보세요.**

개구리 2마리　　원숭이 3마리　　나비 4마리　　앵무새 3마리　　뱀 5마리

06 농장에 동물들이 참 많이 있어요. 동물들이 저마다 다른 소리를 내고 있네요.
어떤 동물들이 있는지 이야기해 보고, 동물들의 **소리를 흉내** 내어 보세요.

찍찍

야옹

멍멍

꼬끼오

삐약삐약

Let's study! · 활동지 ②

❶ 그림이 보이지 않도록 카드를 뒤집어 가운데에 쌓아 놓습니다.

❷ 순서를 정하여 카드를 한 장씩 뒤집어 바닥에 놓습니다.

먼저!

❸ 바닥에 놓은 카드의 그림을 보고 소리를 흉내 냅니다.

야옹야옹

❹ 번갈아 가며 카드를 뒤집어 소리를 흉내 내며 놀이를 해 봅니다.

꼬끼오

 엄마는 선생님!
다양한 동물들의 소리를 생각하며 울음 소리를 흉내 내는 활동을 통해 관찰력과 표현력을 기를 수 있습니다.

음식
붙이는 곳

음식
붙이는 곳

음식
붙이는 곳

음식
붙이는 곳

여러 가지 음식을 분류하여 지정된 색깔의 접시에 담는 활동을 통해 논리적 사고력을 기를 수 있습니다.

친구들이 병원에 왔어요. 자세히 보니 이상한 부분이 있네요! **이상한 부분 4군데**를 찾아 ○표 하고, 왜 이상한지 이야기해 보세요.

엄마는 선생님! 주어진 상황을 이해하고 그 안에서 일어날 수 있는 일과 일어날 수 없는 일을 구분하는 활동을 통해 논리력과 집중력을 기를 수 있습니다.

불이 났어요. 소방차가 불이 난 곳으로 빨리 갈 수 있도록 가는 길을 찾아보세요.

10 친구들이 바닷속을 구경하고 있어요. 여러 가지 물고기들과 바다 생물이 보이네요.
빈 곳에 알맞은 **퍼즐 조각을 맞추어** 숨어 있는 동물들을 찾아보세요. 활동지 ❶

❶ 활동지
붙이는 곳

❷ 활동지
붙이는 곳

❸ 활동지
붙이는 곳

❹ 활동자
붙이는 곳

외계인 친구들은 어떤 음식을 좋아할까요? 외계인 친구들이 **좋아하는** 음식을 친구들 배에 붙여 보세요. 활동지 3

나는 고기와 야채를 좋아해. 하지만 과일은 좋아하지 않아!

야채, 생선, 고기, 과일 등을 분류하는 과정을 통해 정보 처리 능력을 기를 수 있습니다.

친구들이 각자 사고 싶은 물건을 생각하고 있어요. **친구들이 찾아가야 할 가게를 찾아 이야기해 보세요.**

향기로운 꽃집
싱싱한 생선
멋쟁이 옷집
뚝뚝해지는 책
원피스
오징어
선인장

엄마는 선생님!

친구들이 생각하는 그림과 가게의 관계를 파악하여 결과를 유추해 내는 활동을 통해 추론 능력을 기를 수 있습니다.

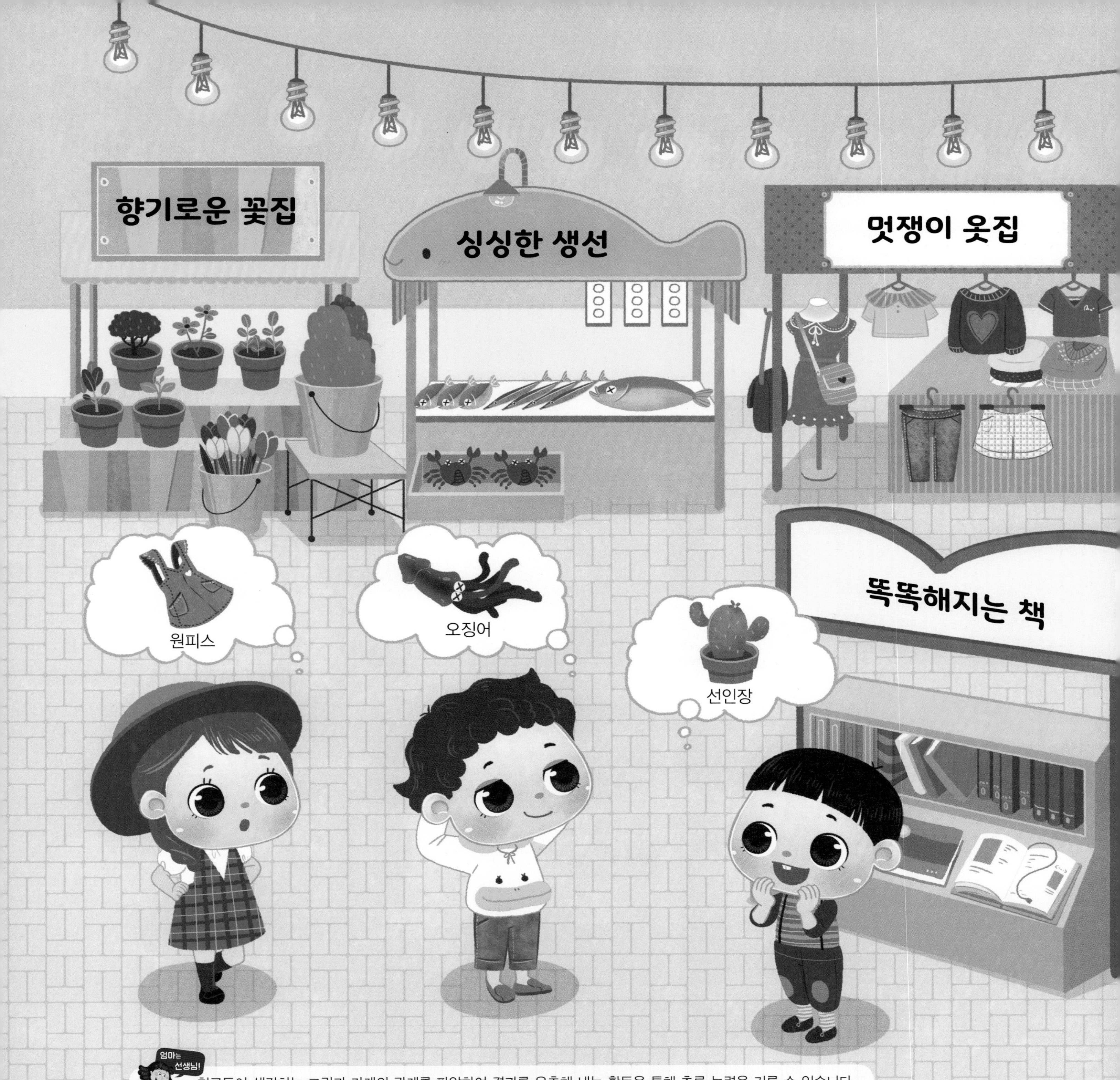

13 친구가 탄 버스는 사진의 장소들을 순서대로 지나가요. **버스가 가야 할 길**을 따라 선을 그려 보세요.

활동지 ❸

학교 → 병원 → 도서관 → 경찰서 → 영화관 → 소방서 → 기차역

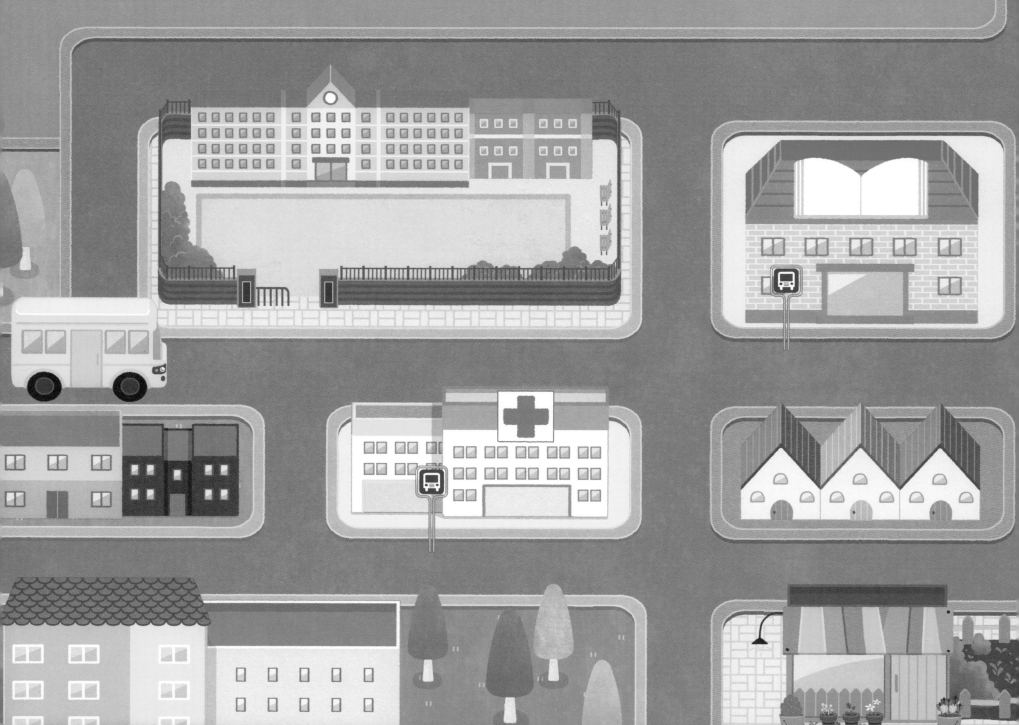

주어진 그림을 보며 버스가 갈 길을 찾는 활동을 통해 정보 처리 능력을 기를 수 있습니다.

14 카드에는 **어떤 색깔, 어떤 과일**이 있는지 이야기해 보고, 게임을 해 보세요.

 Let's play! — 활동지 4

❶ 칩을 5개씩 나누어 가지고, 주사위 2개를 굴립니다.

❷ 주사위에 나온 2가지 속성을 모두 가진 카드를 먼저 찾는 사람이 카드 위에 칩을 올립니다. 이때 칩이 놓여 있는 카드 위에 또 올려놓을 수 있습니다.

❸ 5개의 칩을 먼저 올리는 사람이 승리합니다.

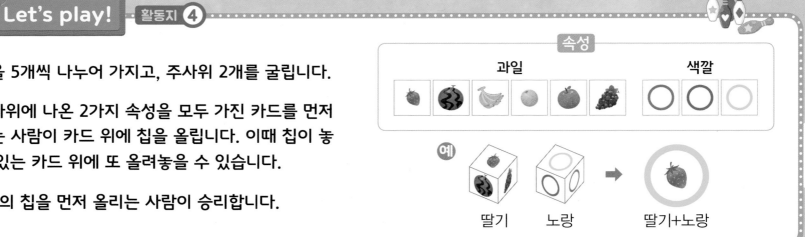

속성

과일 색깔

예 딸기 노랑 → 딸기+노랑

두 가지 속성을 모두 가진 그림을 찾는 활동을 통해 정보 처리 능력을 기를 수 있습니다.

15 강아지들이 공원에서 즐겁게 놀고 있네요. 누구의 강아지일까요? 친구들이 말하는 **강아지를 찾아서** 줄을 연결해 보세요.

16 숲속에 동물들이 모였어요. 동물들이 저마다 다른 동작으로 움직이며 놀고 있네요.
어떤 동물들이 있는지 이야기해 보고, 동물들의 **동작을 흉내** 내어 보세요.

깡총깡총

흔들흔들

폴짝폴짝

대롱대롱

뻐끔뻐끔

어슬렁어슬렁

꿈틀꿈틀

쫑긋쫑긋

살금살금

Let's study! 활동지 ⑤

① 그림이 보이지 않도록 카드를 뒤집어 가운데에 쌓아 놓습니다.

② 순서를 정하여 카드를 한 장씩 뒤집어 바닥에 놓습니다.

먼저!

③ 바닥에 놓은 카드의 그림을 보고 동작을 흉내 냅니다.

깡총깡총

④ 번갈아 가며 카드를 뒤집어 동작을 흉내 내며 놀이를 해 봅니다.

뒤뚱뒤뚱

엄마는 선생님! 다양한 동물들의 움직임을 생각하며 동작을 흉내 내는 활동을 통해 관찰력과 표현력을 기를 수 있습니다.

17 친구들이 해변에서 재미있게 놀고 있어요. **해변에서 볼 수 있는 것들을 찾아보세요.**

거북이 1마리   비치볼 4개   불가사리 3마리   물고기 2마리   갈매기 5마리

그림을 자세히 살펴보고 제시된 항목들을 찾는 과정을 통해 관찰력과 집중력을 기를 수 있습니다.

18 친구네 가족이 기차를 타고 할머니 댁에 가고 있어요. 어느 길로 가야 할까요?
선을 그어 **할머니 댁에 가는 길을** 찾아보세요.

갈림길에서 올바른 길을 선택하여 목적지까지 가는 활동을 통해 오류를 수정하며 논리적으로 생각할 수 있게 됩니다.

친구들이 어린이집에서 놀고 있어요. 자세히 보니 이상한 부분이 있네요! **이상한 부분 4군데를** 찾아 ○표 하고, 왜 이상한지 이야기해 보세요.

친구들이 접시에 맛있는 간식을 받았어요. 그런데 가만히 살펴보니 한 가지씩 덜 받은 음식이 있네요.
어떤 음식인지 찾아보고 붙임딱지를 붙여 모두 **똑같이 간식을 먹을 수 있게** 만들어 보세요.

붙임딱지 ①

우유

간식
붙이는 곳

우유

간식
붙이는 곳

우유

우유

간식
붙이는 곳

간식
붙이는 곳

간식
붙이는 곳

간식
붙이는 곳

간식
붙이는 곳

간식
붙이는 곳

22 친구가 아빠와 함께 놀이공원에 갔어요. 놀이기구도 타고 간식도 사 먹으며 즐거운 시간을 보내려고 해요.
친구가 지나갈 곳을 따라 선을 그려 보세요. 활동지 **3**

핫도그 가게 → 회전목마 → 바이킹 → 자동차 경주 → 시계탑 → 공중그네 → 대관람차 → 출구

친구들이 놀이공원에서 놀이기구를 타고 있어요. 빈 곳에 알맞은 **퍼즐 조각을 맞추어** 어떤 **놀이기구를** 타고 있는지 알아보세요. 활동지 **7**

1 퍼즐 활동지
붙이는 곳

엄마는
선생님!
그림이 연결되도록 퍼즐 조각을 찾아 맞추어 놓는 활동을 통해 추론 능력을 기를 수 있습니다.

기차역에는 마중 나온 사람, 여행을 가는 사람들로 북적이네요. **유빈이와 현서**를 찾아 ○표 하세요.

유빈이는……

- 아이스크림을 먹고 있어요.
- 모자를 쓰고 있어요.
- 기차에 타고 있어요.

현서는……

- 가방을 메고 있어요.
- 모자를 쓰고 있어요.
- 줄무늬 옷을 입고 있어요.

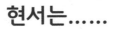 복잡한 그림 속에서 주어진 단서에 맞는 그림을 찾는 활동을 통해 정보 처리 능력과 집중력을 기를 수 있습니다.

25 외계인이 지구에 놀러 왔어요. 알록달록 멋진 우주선을 타고 사진을 찍었네요.
사진을 이용해 **재미있는 게임**을 해 보세요.

Let's play! 활동지 ⑧

❶ 각자 외계인 카드 5장과 우주선 카드 4장을 나누어 가집니다.

❷ 주사위 2개를 굴려서 나온 색깔과 숫자가 있는 사진을 찾아 자신의 카드로 똑같이 만듭니다.

❸ 사진과 똑같이 먼저 만든 사람이 칩을 1개 가져갑니다.

❹ 가져갈 칩이 없으면 게임이 끝납니다. 칩을 더 많이 가져간 사람이 승리합니다.

친구들이 동물원에 갔어요. 자세히 보니 이상한 부분이 있네요! **이상한 부분 4군데**를 찾아 ○표 하고, 왜 이상한지 이야기해 보세요.

크리스마스에 흰 눈이 내렸어요. 친구들이 바깥에 나와 눈사람도 만들고, 팽이치기도 하고 있네요.
눈 내리는 **거리에서 볼 수 있는 것들을** 찾아보세요.

눈사람　　강아지 2마리　　루돌프　　산타할아버지　　크리스마스 트리 3그루

28 여러 가지 그림이 있어요. 각 그림을 보고 **소리나 동작을 흉내** 내어 보고, 엄마와 함께 재미있는 카드 게임을 해 보세요.

어흥	주렁주렁	맴맴	주룩주룩	똑딱똑딱
호랑이	포도	매미	비	시계

동글동글	칙칙폭폭	길쭉길쭉	빵빵	엉금엉금
구슬	기차	오이	자동차	거북이

삐뽀삐뽀	뒤뚱뒤뚱	콜록콜록	아장아장	따르릉
소방차	오리	기침	아기	자전거

방긋방긋	뿡뿡/뽕뽕	반짝반짝	땡땡땡	훨훨

웃는 모습

방귀소리

별

종소리

새

멍멍	소곤소곤	딸랑딸랑	둥실둥실	찍찍

강아지	귓속말	방울소리	풍선	쥐

Let's play! 활동지 ② ④ ⑤

❶ 그림 카드 2장을 놓고 그림을 기억하게 합니다.

❷ 카드가 보이지 않게 활동지를 카드 위에 올려놓습니다.

❸ 아이에게 기억한 카드 그림의 소리나 동작을 흉내 내게 합니다.

 야옹야옹

❹ 맞게 흉내 낸 카드만 가져갑니다.

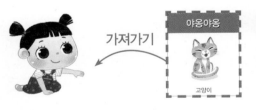

❺ 빈 곳에 새로운 카드를 놓은 후, 엄마와 서로 번갈아 가며 게임을 합니다.

❻ 카드를 많이 가져간 사람이 이깁니다.

이겼다!

❼ 아이의 수준에 따라 그림 카드는 여러 장 사용할 수 있습니다.

엄마는 선생님! 카드에 있는 그림을 기억한 후 소리나 동작을 흉내 내는 과정을 통해 기억력과 표현력을 기를 수 있습니다.

공주님이 예쁜 구두와 드레스를 입고, 가장 아래층에 있는 **무도회장에** 가는 길을 찾아보세요.

친구들이 해적 놀이를 하고 있어요. 보물을 가득 실은 배를 타고 파도를 헤쳐 나아가고 있네요.
왼쪽과 오른쪽 그림이 서로 같도록 **퍼즐 조각을 맞추어** 보세요. 활동지 9

그림이 연결되도록 퍼즐 조각을 찾아 맞춰 놓는 활동을 통해 추론 능력을 기를 수 있습니다.

MEMO

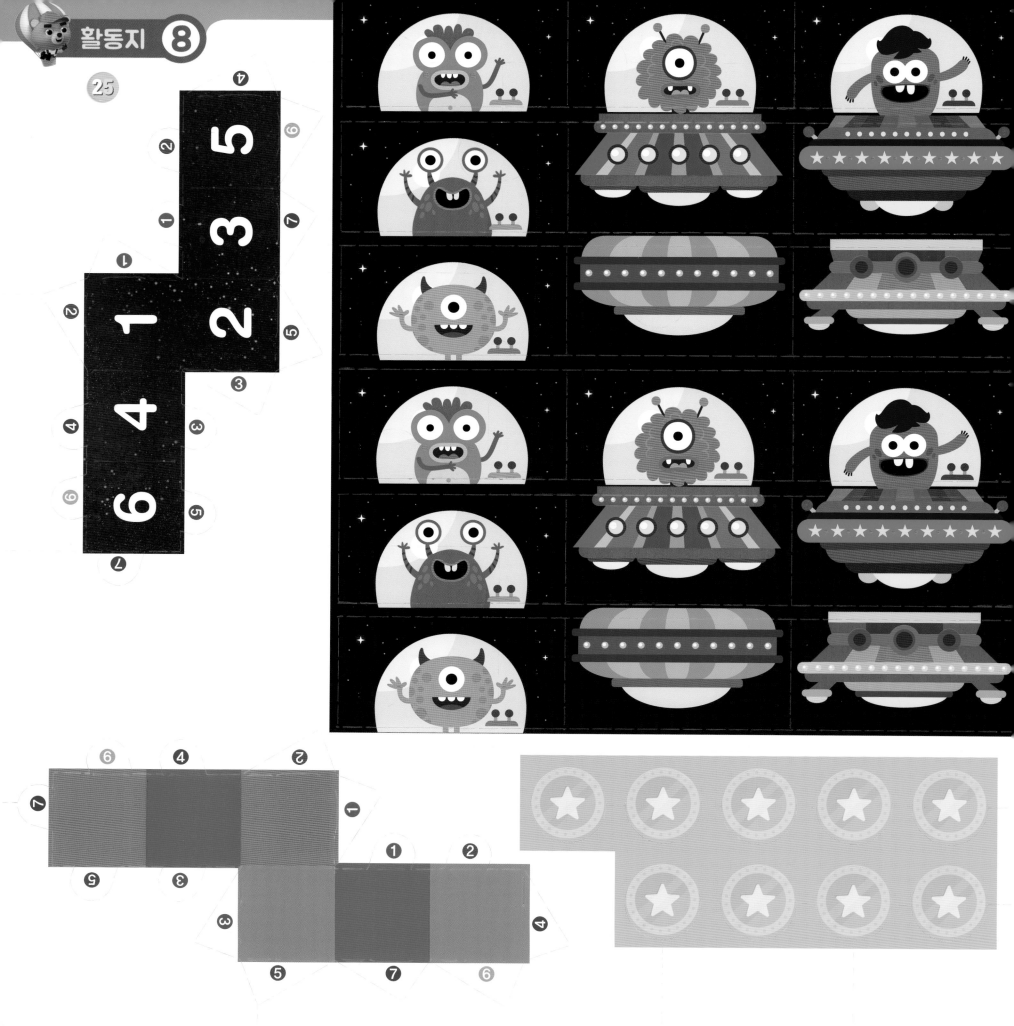

23 1

2

3

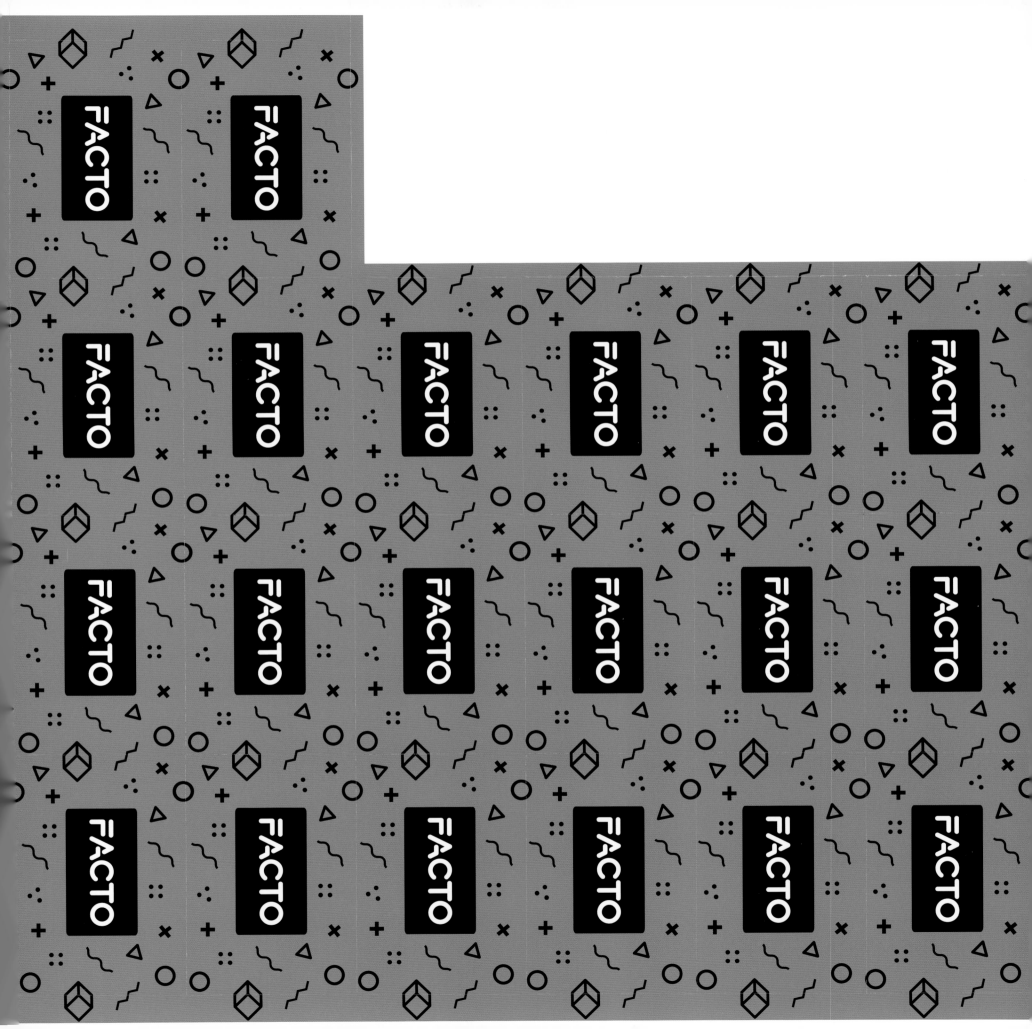

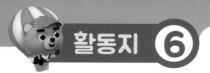

⑲

뒤뚱뒤뚱	훨훨	깡충깡충	폴짝폴짝	뻐끔뻐끔
오리	새	토끼	개구리	물고기

엉금엉금	꿈틀꿈틀	어슬렁어슬렁	길쭉길쭉	주렁주렁
거북이	애벌레	호랑이	오이	포도

아장아장	방긋방긋	반짝반짝	동글동글	흔들흔들
아기	웃는 모습	별	구슬	원숭이

대롱대롱	주룩주룩	소곤소곤	꼬불꼬불	쨍쨍
거미	비	귓속말	산길	햇빛

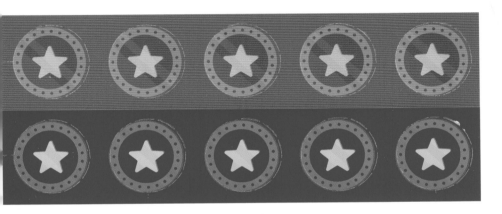

흉내 내어 볼까?

| ? | ? | ? |

14

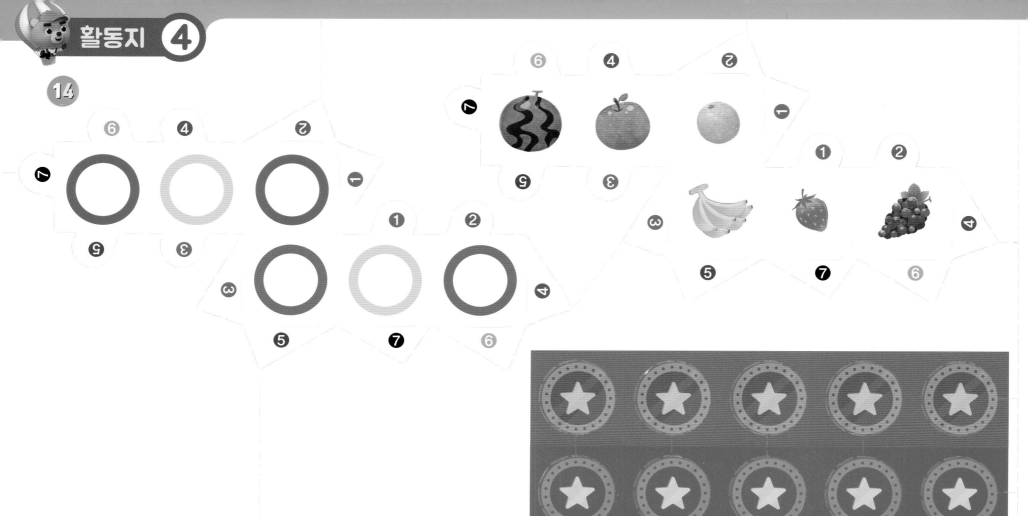

28

흉내 내어 볼까?

?　　?

 11

 13

22

FACTO FACTO FACTO FACTO

FACTO FACTO FACTO FACTO

FACTO FACTO FACTO FACTO

FACTO FACTO FACTO FACTO

FACTO FACTO FACTO FACTO

찍찍	꽥꽥	꼬끼오	삐약삐약	멍멍
쥐	오리	닭	병아리	강아지

꿀꿀	개골개골	음메	어흥	맴맴
돼지	개구리	젖소	호랑이	매미

빵빵	따르릉	삐뽀삐뽀	똑딱똑딱	뿡뿡/뽕뽕
자동차	자전거	소방차	시계	방귀소리

콜록콜록	하하/호호	야옹야옹	칙칙폭폭	땡땡땡
기침	웃음 소리	고양이	기차	종소리

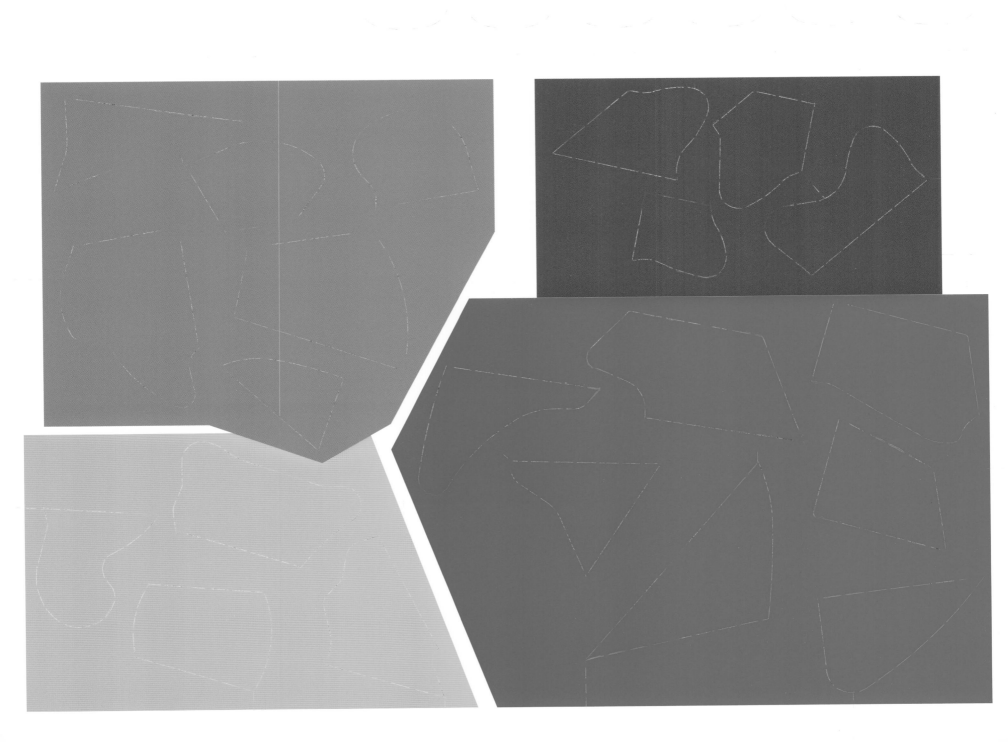

04

10

① ② ③ ④

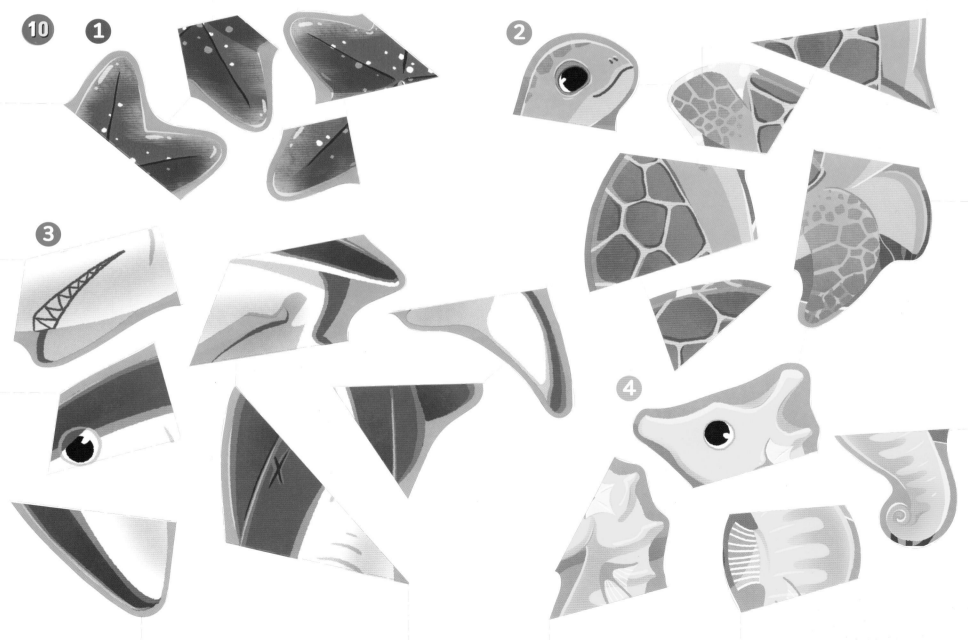